1. Lesestufe

Erhard Dietl

Der neue Fußball

Mit Bildern von Wilfried Gebhard

Ravensburger Buchverlag

Bibliografische Information Der Deutschen Bibliothek:

Die Deutsche Bibliothek verzeichnet diese Publikation
in der Deutschen Nationalbibliografie.
Detaillierte bibliografische Daten sind im Internet
über **http://dnb.ddb.de** abrufbar.

12   13 12

Ravensburger Leserabe
© 2004 Ravensburger Buchverlag Otto Maier GmbH
Umschlagbild: Wilfried Gebhard
Umschlagkonzeption Sabine Reddig
Printed in Germany
ISBN 978-3-473-36014-7

www.ravensburger.de
www.leserabe.de

Inhalt

Das Geschenk von Papa

Das ist Tommi.

Und das ist Tommis Hund.

Er heißt Wolli.

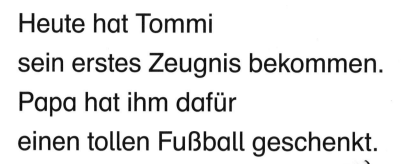

Heute hat Tommi
sein erstes Zeugnis bekommen.
Papa hat ihm dafür
einen tollen Fußball geschenkt.

Tommi will ihn natürlich
gleich ausprobieren.
Er geht zu seinem Papa und fragt:
„Spielst du mit mir Fußball?"

Papa setzt seine Brille auf
und schaltet den Computer an.
Er sagt: „Ich muss noch
einen Brief schreiben.
Frag doch deine Schwester."

Tommi geht ins Zimmer von Ute.
Ute sitzt auf ihrem Bett.
Sie liest in einem Buch
und hört laute Musik.

8

„Spielst du mit mir Fußball?", ruft Tommi.
Aber Ute hört ihn nicht.
Sie hat ihren Kopfhörer auf.

Tommi hält ihr den Fußball
vor die Nase.
„Stör mich nicht!", sagt Ute. „Lass mich
lesen!"

Tommi klemmt sich den Fußball
unter den Arm.
Er läuft die Treppe hinunter zur Haustür.
Wolli saust hinterher.

Da kommt Mama.

Sie hat gerade auf dem Balkon

die Blumen gegossen.

„Nimm die Leine mit, Tommi!",

ruft Mama.

Doch Tommi hört sie nicht.

Er ist schon draußen.

Ohne Leine!

Ein Fahrrad und ein Auto

Er läuft mit Wolli den Weg entlang.
Da treffen sie Max.
Max kniet auf dem Gehsteig
und repariert sein Fahrrad.

„Spielst du mit mir Fußball?",
fragt Tommi.
„Ich muss erst den Reifen flicken",
sagt Max.

Neugierig schnüffelt Wolli
an der Tasche
mit dem Werkzeug herum.

Dann nimmt er den Schraubenzieher
zwischen die Zähne.
„Pfui, Wolli!", sagt Tommi.
„Gib das her!
Das ist doch kein Knochen!"

„Tschüss!", sagt Tommi und läuft weiter.

Er schießt den Fußball

gegen eine Mauer.

Wolli läuft dem Ball nach

und wedelt mit dem Schwanz.

Da rollt der Ball auf die Straße.

Wolli flitzt hinterher.

„Bleib da!", schreit Tommi.

Ein Auto kann gerade noch bremsen.

Der Mann im Auto schimpft:

„Nimm doch deinen Köter an die Leine!"

Tommi klopft das Herz bis zum Hals.
Er fasst Wolli am Halsband
und zieht ihn von der Straße weg.

Tommi geht ins Tor

Tommi und Wolli laufen zur Wiese.
Dort lassen Tina und Uwe
gerade ihre Drachen steigen.

„Spielt ihr mit mir Fußball?",
fragt Tommi sie .
„Später", sagt Uwe.
„Jetzt nicht", sagt Tina.
„Wir haben so tollen Wind!"

Tommi schießt seinen Fußball
über die Wiese.
Der Fußball rollt bis zur Wippe.
Wolli springt ihm nach.

Auf der Wippe sitzen
Lisa und Heike.
Wolli läuft auf Lisa zu
und leckt ihr die Hände ab.

„Du bist aber süß!", sagt Lisa.
Sie streichelt Wolli das Fell
und krault ihn hinter den Ohren.

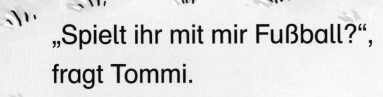

„Spielt ihr mit mir Fußball?",
fragt Tommi.
„Zu dritt ist es aber langweilig!",
sagt Heike.

„Ist es gar nicht!", sagt Tommi.
„Ich stelle mich zwischen die Bäume.
Das ist das Tor. Ich bin der Torwart
und ihr dürft schießen!"

„Aber wir dürfen auch mit den Händen
werfen!", meint Lisa.

„Nein! Wir spielen doch Fußball!
Es gilt nur mit dem Fuß!", erklärt Tommi.

„Ich will als Erste schießen!", ruft Heike.
Sie legt den Fußball auf den Boden
und läuft an.

„Geh aus dem Weg, Wolli!", ruft Tommi.

Heike knallt den Fußball
an Tommi vorbei ins Tor.
Tommi wirft sich zu spät ins Gras.

„Tor!", rufen Lisa und Heike
und reißen die Arme hoch.

Tommi will seinen Fußball holen.
Da kommt Max über die Wiese geradelt.
Max schnappt sich den Fußball
und fährt mit ihm davon.

Gut gemacht, Wolli

„Fang mich doch!", ruft Max Tommi zu.
„Du kriegst mich nicht, du lahmer Wicht!"
„Gib den Ball her, freches Ei!"
ruft Tommi.

Er läuft Max nach.
Doch Max ist schnell wie der Blitz.
„Lahme Ente!", ruft Max.

Er radelt im Kreis herum.
Tommi rennt, so schnell er kann,
aber er kann Max nicht einholen.

„Gib den Ball her!",
rufen Heike und Lisa.
Auch Wolli saust jetzt hinter Max her.

Er bellt laut und will Max
in die Hose zwicken.
„Hau ab, du kleines Monster!", ruft Max.
Er tritt mit dem Fuß nach Wolli.
Dabei verliert er seinen linken Schuh.

Wolli schnappt sich den Schuh
und bringt ihn zu Tommi.
„Guter Hund!", sagt Tommi
und tätschelt Wolli den Bauch.

Max hält an und steigt vom Fahrrad.
„Darf ich meinen Schuh wiederhaben?",
fragt er.

„Du darfst ihn gegen den Ball
eintauschen", sagt Tommi und grinst.
„Na gut!", sagt Max
und gibt Tommi den Ball.

„Darf ich mit euch Fußball spielen?",
fragt Max.

Da kommen auch noch Tina und Uwe
über die Wiese gelaufen.
Der Wind hat aufgehört.
Jetzt wollen ihre Drachen nicht mehr
fliegen.

„Wir spielen auch mit!", rufen sie.

„Spitze!", sagt Tommi.

„Dann sind wir drei gegen drei!"

Tommi will mit Uwe und Lisa spielen.
Und Heike spielt mit Tina und Max.

„Wolli macht den Schiedsrichter",
sagt Lisa. Sie streichelt Wolli das Fell.

„Er hat zwar keine Pfeife, aber er kann bestimmt prima bellen!", sagt Uwe.

„Nein, Wolli stört uns", sagt Max.
„Er läuft uns nur zwischen die Beine!"

„Quatsch", sagt Tommi.

Er führt Wolli am Halsband zum Baum.

„Wolli! Sitz! Platz!", befiehlt Tommi.

Wolli spitzt die Ohren und legt sich

folgsam ins Gras.

„Alles klar!", ruft Tommi
und schnappt sich den Ball.
„Jetzt kann's losgehen!
Ich hab Anstoß!"

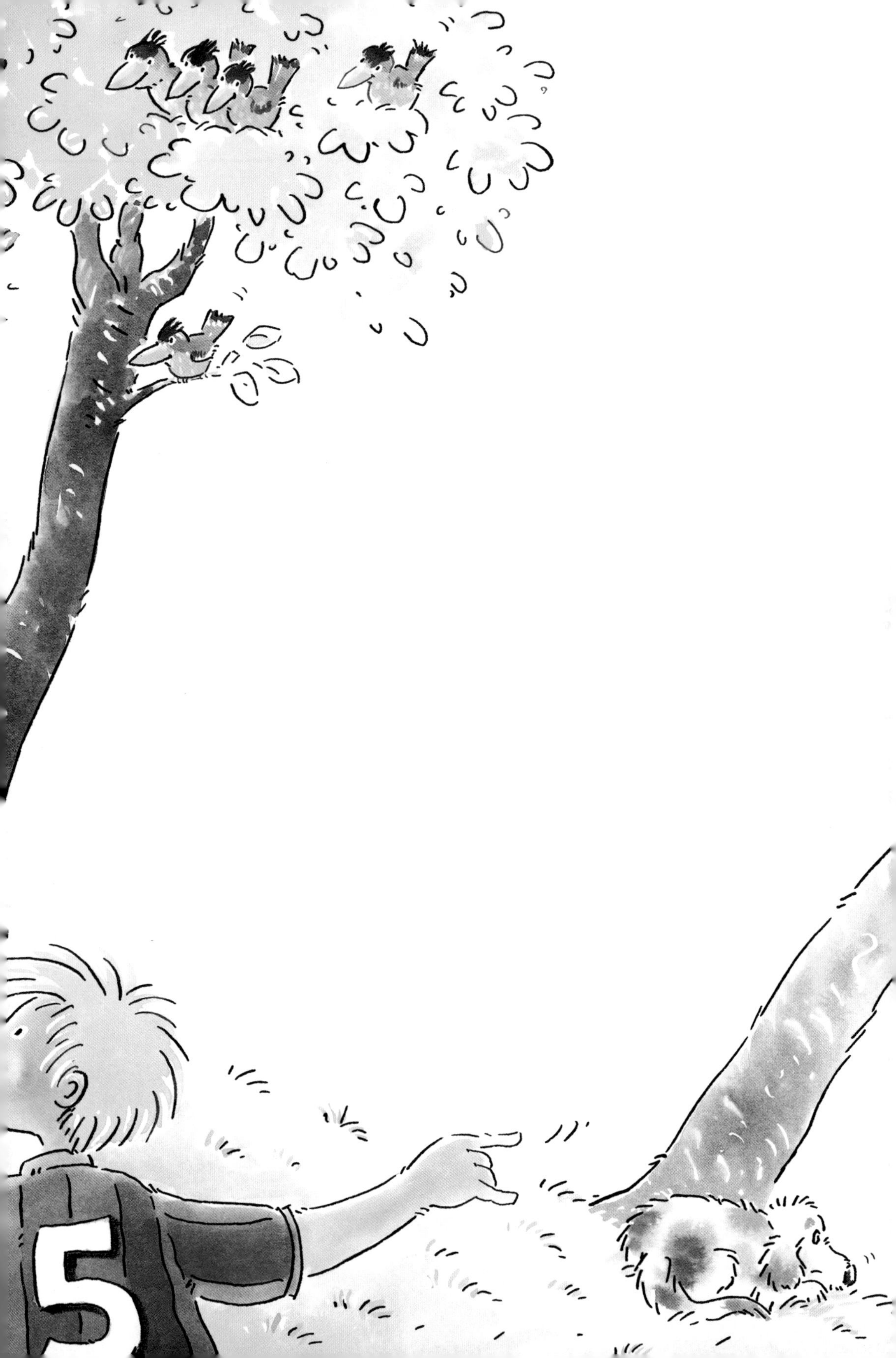

Erhard Dietl ist 1953 in Regensburg geboren. Er hat an der Akademie der Bildenden Künste studiert und weil es ihm dort so gut gefallen hat, ist er nach seinem Studium erst mal in München geblieben. Erhard Dietl schreibt nicht nur Kinderbücher, sondern malt und zeichnet auch selber.

Hauptsächlich arbeitet er für Kinder, und weil er selbst noch ein „großes" Kind geblieben ist, sind seine Bücher so einfühlsam und witzig. Für den „Leseraben" hat Erhard Dietl auch die „Ätze"-Bände und „Mein schönster Schultag" illustriert sowie die Bücher „Manchmal wär ich gern ein Tiger", „Wenn Lothar in die Schule geht" und „Lothar ist nicht Supermann" geschrieben und illustriert.

Wilfried Gebhard ist in Crailsheim geboren und in Stuttgart aufgewachsen.
Nach seinem Studium an der grafischen Fachschule in Stuttgart und der Staatlichen Akademie der bildenden Künste war er zunächst Artdirector in einer Werbeagentur.

Neben Veröffentlichungen in zahlreichen Magazinen und Zeitschriften und Arbeiten fürs Fernsehen sind 1989 die ersten Cartoonbücher erschienen.

Heute lebt er im schwäbischen Maulbronn und illustriert bereits seit 1992 Kinderbücher.

Leserätsel

mit dem Leseraben

Super, du hast das ganze Buch geschafft!
Hast du die Geschichte ganz genau gelesen?
Der Leserabe hat sich ein paar spannende
Rätsel für echte Lese-Detektive ausgedacht.
Mal sehen, ob du die Fragen beantworten kannst.
Wenn nicht, lies einfach noch mal
auf den Seiten nach. Wenn du die richtigen
Antwortbuchstaben in die Kästchen auf Seite 42
eingesetzt hast, bekommst du das Lösungswort.

Fragen zur Geschichte

1. Warum freut sich Tommi? (Seite 6)

A: Tommi hat für sein Zeugnis einen Hund
geschenkt bekommen.

E: Tommi hat einen neuen Fußball geschenkt
bekommen.

2. Warum spielt Max nicht mit Tommi? (Seite 14)

N: Max möchte lieber Fahrrad fahren.

L : Max muss sein Fahrrad reparieren.

3. Warum wollen die Kinder lieber Drachen steigen lassen? (Seite 20)

F : Der Wind ist gerade so gut.

H: Sie können Fußball nicht leiden.

4. Auf welcher Position spielt Tommi? (Seite 23)

I : Tommi spielt im Sturm.

E: Tommi spielt im Tor.

5. Warum darf Max dann doch mit Fußball spielen? (Seite 32)

S: Weil er sich entschuldigt hat.

R: Weil er den Fußball gegen seinen Schuh eingetauscht hat.

Lösungswort:

			M		T	E	
1	2	3		4			5

Rabenpost

Super, alles richtig gemacht! Jetzt wird es Zeit
für die RABENPOST.
Schicke dem LESERABEN einfach eine Karte
mit dem richtigen Lösungswort. Oder schreib eine
E-Mail. Wir verlosen jeden Monat 10 Buchpakete
unter den Einsendern!

An den LESERABEN
RABENPOST
Postfach 20 07
88 190 Ravensburg
Deutschland

leserabe@ravensburger.de
Besuch mich doch auf meiner Webseite:
www.leserabe.de

Ravensburger Bücher

Leserabe

1. Lesestufe für Leseanfänger ab der 1. Klasse

ISBN 978-3-473-**36204**-2

ISBN 978-3-473-**36389**-6

ISBN 978-3-473-**36322**-3

2. Lesestufe für Leseanfänger ab der 2. Klasse

ISBN 978-3-473-**36325**-4

ISBN 978-3-473-**36372**-8

ISBN 978-3-473-**36395**-7

3. Lesestufe für Leseanfänger ab der 3. Klasse

ISBN 978-3-473-**36329**-2

ISBN 978-3-473-**36313**-1

ISBN 978-3-473-**36399**-5

Mit mir lernst du rabenleicht lesen!

ERZ_10_007

www.ravensburger.de / www.leserabe.de

Ravensburger